Marcel Gagnon

FAIRE UN SUCCÈS DE SA VIE

POURQUOI PAS ?

Éditions
du Grand Rassemblement
Coll. Éveil

Réalisation de la page couverture : Marcel Gagnon

Composition et mise en page : Louise Gagnon
Impression : Imprimerie du Golfe inc.

 Éditions du Grand Rassemblement
564, route de la Mer
Sainte-Flavie (Québec)
G0J 2L0
Tél. : (418) 775-2829

ISBN : 2-9803476-6-3
Dépôt légal : deuxième trimestre 1995

Bibliothèque nationale du Québec
Bibliothèque nationale du Canada

PRÉFACE

Avant de commencer le présent livre, je veux vous raconter comment il m'est venu. Il est vrai que, déjà, depuis quelques mois, l'idée d'écrire sur le succès me préoccupait. Mais même si, intuitivement, je savais qu'il me manquait certaines choses, j'ignorais quoi précisément.

Quand je vous dis « Pourquoi pas ? », sous le titre *Faire un succès de sa vie* de la page couverture, je peux, aujourd'hui, vous en donner un bel exemple.

Au moment où je vous raconte mon histoire, il y a une semaine environ, nous partions en vacances en motorisé, Ghislaine, mon épouse, Isabelle, ma fille, Dany, notre gendre et Nicolas, notre petit-fils adoré de dix-huit mois, pour un séjour sur la Côte-Nord. Notre objectif : aller vers Havre Saint-Pierre, au bout du monde, comme les gens de là-bas se plaisent à surnommer cet endroit. Cette appellation est justifiée, sans doute, puisque la route, dans ce coin de pays, s'arrête chez eux.

Ce fut un voyage fantastique et enrichissant à tous les points de vue. Assez mouvementé aussi, avec notre petit-fils qui se lève de très bonne heure. Et notre fille et notre gendre étaient aussi excités que le petit. Un pays magnifique avec ses nombreuses îles et ses monolithes, vestiges d'une mer en furie qui sculpte les rochers pour en faire parfois des personnages, des animaux, des foules, des déesses ou des belles-mères, - toujours selon les gens du coin.

Ce n'est pas du tout de cela dont je voulais vous parler, mais l'occasion est trop belle pour ne pas vanter ce beau coin de pays si près de chez moi. Nous revenions donc de ce petit périple et tout se passait bien.

Nous sommes vendredi après-midi, vers quatorze heures. Nous venons de visiter un petit zoo où nous avons eu beaucoup de plaisir à montrer des animaux à notre petit-fils. Avant de repartir, nous avons pêché, Dany et moi, quatre belles truites pour notre souper. Nous nous promettions de nous régaler en arrivant au camping à Godbout. C'est là que nous devions reprendre le bateau pour la côte-sud, le samedi matin.

En sortant du zoo, le moteur du motorisé fait des ratés, on dirait qu'il veut nous lâcher. Je ne m'inquiète pas trop, car il est presque neuf, seulement deux ans et une vingtaine de mille kilomètres. J'entre dans un petit village, j'arrête à la station d'essence. Je fais le plein, au cas ou... Je repars et j'oublie le problème, mais le moteur ne fonctionne vraiment pas mieux et, finalement, il s'arrête complètement sur la route. J'ai juste le temps de ranger le motorisé sur l'accotement sur son air d'aller.

C'est un gros motorisé très large et le côté de la route est très étroit, ce qui signifie que nous sommes encore presque la moitié sur la route, et « ça passe » comme dirait ma mère; il y a de nombreuses voitures. Pas de panique ! Mon ancien métier, c'est mécanicien. Il faut dire que les temps ont bien changé et que, avec l'électronique, aujourd'hui, nous sommes impuissants à régler nos problèmes de mécanique. Sans ces magnifiques machines qu'ils utilisent dans les garages, qui coûtent si cher de l'heure quand on est obligé de s'en servir, on ne peut pas faire grand-chose.

Le moteur tourne, mais pas d'explosion. Il ne veut pas repartir. Nous enlevons le capot intérieur et vérifions le feu d'allumage. Tout semble dans l'ordre, mais on dirait qu'il n'y a pas d'essence. Pourtant, je viens d'en mettre pour soixante-quinze dollars.

Nous levons les yeux et nous voyons venir une dépanneuse. À force de signes désespérés, le conducteur s'arrête et nous lui racontons le problème. Lui non plus ne voit pas ce qui empêche le moteur de repartir. Il ne peut pas nous remorquer, le motorisé est trop gros et le pare-chocs, en fibre de verre, ne résistera pas. De toutes façons, son garage est trop éloigné pour nous y pousser.

C'est urgent, nous en convenons : il nous faut à tout prix l'enlever de la route. Le chauffeur de la dépanneuse nous informe que, à un demi kilomètre, il y a un terrain de camping sauvage magnifique, près de la mer. Il n'y a pas de service, seulement des tables à pique-nique, mais c'est gratuit. Son pare-chocs étant finalement de la bonne hauteur, il pousse le motorisé jusqu'à cet endroit. Tout va bien.

Nous avons des voisins, mais pas trop près, et beaucoup d'espace. Le motorisé s'arrête sur son air d'aller. Je dis à ma gang : « Nous allons être bien ici ! » **Je laisse aller les événements, je les observe. Pas une fois je n'ai trouvé la situation choquante.**

Le mécanicien arrive en même temps que je descends du motorisé. Nous décidons d'inspecter le véhicule de plus près, mais, rien à faire, nous ne trouvons pas la défectuosité. La noirceur s'en vient et nous convenons de remettre notre inspection au lendemain, soit le samedi. De très bonne heure, nous recommençons, mon gendre Dany et moi, à inspecter tous les fils électriques sous toutes les coutures. Le mécano revenu, nous lui demandons conseil sur la recherche des dernières heures.

Nous décidons enfin de démonter la pompe à essence qui se trouve dans le réservoir sous le motorisé. Tout un réservoir ! Si je n'y avais pas mis pour soixante-quinze dollars de carburant aussi, il serait plus léger ! Après maints efforts, nous parvenons à cette fameuse pompe. C'est bien elle la coupable. Nous ne voulions pas y croire - vu que le motorisé est presque neuf. Nous sommes alors samedi midi. Les garages dépositaires Ford sont à peu près à cent quarante kilomètres de nous et, de toute façon, ils sont fermés le samedi. Le bateau pour traverser chez nous est déjà parti.

Le garagiste *réussit* à appeler un ami, qui *réussit* à déranger le gérant des pièces d'un dépositaire Ford à Baie-Comeau, et le gérant *réussit* à trouver un commis, pour se faire dire qu'il y en a seulement à Montréal de ces pompes. La pièce tant convoitée n'arrivera pas à Baie-Comeau avant mardi midi, par avion.

Au moment d'écrire ces lignes, nous sommes lundi seize heures trente, et je ne sais toujours pas quand nous recevrons réellement cette fameuse pompe.

Dimanche, notre fille, son mari et leur petit ont pris l'autobus en direction de Godbout, pour prendre le bateau. Notre fils Guillaume allait les chercher à Matane.

Ça fait que, à neuf heures trente, dimanche matin, nous nous sommes retrouvés, Ghislaine et moi, seuls, avec un motorisé qui ne fonctionne pas. Cependant, il faut que je vous dise que la génératrice, elle, tourne bien, avec les soixante-quinze piastres de carburant que j'ai mis avant la panne.

Vous allez bien vous demander pourquoi je vous ai raconté toute cette histoire. Il y a une raison à cela, vous vous en doutez sûrement : « Pourquoi ne pas voir le positif dans ce qui nous arrive ? » Et encore là, je reviens avec cet exemple : Ghislaine et moi, après vingt-six ans de mariage, nous aimons encore nous retrouver en amoureux. Durant le voyage au Havre avec la marmaille, les occasions d'être seuls ont été rares. Nous le savions avant de partir et nous l'acceptions, mais dans le fond, ça nous manquait un peu.

Deuxième chose positive : Ghislaine est en train de terminer son deuxième livre intitulé *L'envol... de notre enfant intérieur* qu'elle doit remettre sous peu à l'imprimerie. Elle avait apporté son manuscrit avec elle pour le lire et le corriger durant le voyage, mais avec les enfants elle n'a pas pu (elle s'en doutait un peu).

Eh bien, elle est passée à travers la première correction et s'en trouve très heureuse. Encore quelque chose de positif à ce bris mécanique.

Moi, pour ma part, cette halte imprévue me donne l'occasion (pour ménager l'eau du motorisé) d'aller me baigner dans l'eau froide d'un petit ruisseau, expérience que je n'avais jamais tentée de ma vie. J'aurais trouvé la baignade très revigorante, si ce n'eût été la présence des mouches noires.

Aussi, avec cette aventure, j'ai découvert dans les environs toutes sortes de fruitages. J'ai, à cette heure, ramassé plusieurs litres de bleuets et de framboises. Comme la nature est généreuse ! Je peux vous le confirmer, il y en a des bleuets sur la Côte-Nord, près de la Pointe-aux-Anglais !

Les voisins sont partis aujourd'hui. Il passe un *quatre roues motrices* de temps à autre et les heures s'écoulent comme dans un rêve - si on accepte la vie comme elle se présente.

Un autre exemple, saisissant celui-là : j'ai eu la chair de poule quand je me suis rendu compte de cette coïncidence qui n'en est sûrement pas une dans le fond... Nos pensées sont vivantes. Je vous dirais que, il y a quelques mois, j'avais imaginé écrire un livre sur le succès. Pour l'inscrire dans la pensée universelle, j'ai écrit le titre, ce que ce livre comporterait et, en finissant, que ce serait mon prochain livre. J'ai envoyé ce projet dans l'univers.

Et voilà que durant le voyage, pendant une accalmie, quand mon petit-fils Nicolas dormait, j'ai écrit un poème sur le succès. J'en ai aussi fait un dessin, le lendemain, sans penser que l'écriture de ce livre était si proche.

Aujourd'hui, en triant mes bleuets, j'ai eu comme un éclair, une intuition..., un frisson, pourrais-je dire. Je devais commencer ce livre et, peut-être, le finir d'un trait. Après tout, il me reste encore une vingtaine d'heures avant que la pompe à essence arrive de Baie-Comeau. Aussi, j'ai le pressentiment qu'elle peut avoir un peu de retard. Je ne le souhaite pas, mais si cela se produit, je pourrai peut-être écrire tout le livre. Vous voyez comment on peut se servir des événements pour créer.

J'aime de plus en plus jongler avec la vie. Pour cela, il ne faut pas la combattre, **il faut l'aimer pour ce qu'elle nous donne**. Nous allons jouer le jeu jusqu'au bout : si, par exemple, je réussissais à écrire ce livre durant cet arrêt obligatoire, réalisez-vous le cadeau que j'aurai reçu de la vie ? Imaginez encore que si j'avais pris cet événement en sacrant, en étant de mauvaise humeur et en trouvant le temps long au lieu de le prendre de bon coeur, je n'aurais pas pu profiter de ces quelques jours de vacances supplémentaires.

Un ami me racontait l'autre jour qu'il était resté coincé dans un embouteillage monstre, près de Montréal. Au lieu de jurer et d'être en colère, il est descendu de son automobile et a continué le travail commencé à sa carrosserie qu'il n'avait pas eu le temps de finir chez lui. Les gens tout autour de lui se demandaient comment quelqu'un pouvait prendre la vie de cette façon... Et si moi, durant cette aventure, en me faisant plaisir, je réussis à écrire ce livre, cette panne aura été rentable à plusieurs points de vue.

Le succès dans la vie est rempli de cas semblables, de chemins que nous aurions pu prendre et que nous n'avons pas vus, parce que nous ne percevions que le négatif des choses au lieu du positif.

Je vous offre le poème que j'ai écrit pendant ce voyage.

LE SUCCÈS

Étant jeune, j'ai souvent cru que le succès tomberait toujours directement du ciel sans mon intervention...

Un jour, le succès m'a *lâché* et j'ai dû revoir ma façon de penser de fond en comble...

J'écoutais les gens qui me déclaraient que, pour réussir, il faut être chanceux.
D'autres encore me disaient que c'était le hasard.
Enfin, les plus pessimistes affirmaient « qu'ils étaient nés pour un petit pain », pour expliquer leur défaite...

Les expériences de ma vie m'amenaient à méditer sur *mon* rôle à jouer pour m'assurer un destin heureux...

En m'observant, en observant les gens, j'ai compris que tout être humain avait la même chance, avait les mêmes capacités, avait le même droit au bonheur, et que le hasard n'existait pas...

Oui, j'ai compris que nous décidions de nos succès...

Rien ne sert, selon moi, de changer notre dehors, notre habillement, notre voiture, notre maison, nos amis, nos parents.
C'est inutile, et c'est de commencer par la fin...

Tout ce que l'on doit changer, c'est notre façon de penser, notre intérieur. Ensuite, tout doucement, certains de nos amis vont changer, notre habillement, notre voiture...

Si nous acceptons que notre attitude juste soit le maître de notre vie, plus rien ne peut nous arrêter dans notre marche vers le succès...

J'ai appris, avec mes expériences, que c'est une histoire de cause à effet.
Nous récoltons ce que nous semons...

On ne peut pas tricher ni mentir, nous faisons partie de la pensée universelle...

L'attitude juste, c'est la seule façon de s'élever au rang des femmes et des hommes que l'on dit bénis des dieux...

Les hommes et les femmes qu'on dit bénis des dieux sont, en fait, des humains ordinaires qui ont su abattre les barrières qui les empêchaient d'avancer. Ces obstacles vaincus, ils ont pu faire grandir leur force intérieure et leur spiritualité, ce qui leur assure une créativité sans frontière qui les mène tout droit vers le succès de leur vie.

Marcel Gagnon, le 28 août 1994

CHAPITRE PREMIER

ÉTANT JEUNE, j'AI SOUVENT CRU QUE LE SUCCÈS TOMBERAIT TOUJOURS DIRECTEMENT DU CIEL SANS MON INTERVENTION...

mingan
M. Gagnon 94

Je pense que, pour les jeunes, le succès ça ne veut pas dire grand-chose de concret. C'est vrai que nous voulons être bons dans les sports, par exemple, ou que nous aimerions avoir de bonnes notes à l'école sans nous forcer, mais, pour la plupart, l'idée du succès s'arrête là. Souvent, nous ne relions pas le travail avec le succès. Nous pensons qu'il arrive parce qu'il doit arriver, sans effort.

Sans s'en rendre vraiment compte, nous pensons que, si nous en avons, c'est parce que nous sommes chanceux et que, si nous n'en n'avons pas, c'est que nous sommes malchanceux. C'est sûr, nous avons souvent entendu nos parents et nos grands-parents dire : « Ah ! vraiment, ils ne sont pas chanceux ces gens-là ! » À partir de ces déclarations, nous avons grandi avec cette idée que nous ne sommes pas responsables de nos succès ou très peu... Ils ne nous ont jamais dit que nous créions nous-mêmes notre vie, que nous étions responsables, en bout de ligne, de nos défaites et de nos succès. Pour ma part, je ne l'ai appris que plus tard, avec l'expérience.

***

Les paroles sont faciles à inventer, les actes plus difficiles.

CHAPITRE 2

UN JOUR, LE SUCCÈS M'A LÂCHÉ ET J'AI DÛ REVOIR MA FAÇON DE PENSER DE FOND EN COMBLE...

BRAVO

Comme je vous le disais plus tôt, dans ma jeunesse, je ne me sentais pas vraiment responsable de mes succès. Pour moi, toute ma chance tombait du ciel, jusqu'au jour où le succès m'a lâché. À ce moment-là et seulement à ce moment-là, j'ai commencé à me poser la question. À mon premier coup dur, je me suis demandé : « Est-ce que je suis responsable de toute cette malchance ? » Ça m'a pris un peu de temps avant de comprendre.

J'avais des magasins de pièces d'automobile à Montréal, et tout allait assez bien. L'entreprise avait grandi vite, trop vite : trois magasins et un garage en deux ans. Je voulais réussir, devenir riche et revenir chez moi, en Gaspésie. Dans mon for intérieur, je crois bien que cette idée ne m'a jamais quitté. Je ne savais pas dans ce temps-là que mes pensées étaient vivantes et, un beau matin, je suis arrivé au magasin, celui qu'on appelait la maison-mère, et tout avait été volé.

Les voleurs avaient déjoué le système d'alarme et sorti le matériel par le deuxième étage. Les assurances étant trop dispendieuses, j'avais pris une chance et je ne m'étais pas assuré. J'avais *laissé faire*, comme on dit parfois.

Sans le savoir, tous les éléments pour retourner rapidement en Gaspésie venaient de se mettre en place. Après ce vol, les affaires ont été de mal en pis et je n'ai jamais repris le dessus. J'ai dû fermer tous les magasins un à un, et je vous laisse deviner la suite... Quelques mois plus tard, je me retrouvais en Gaspésie, sur une terre que mon père m'avait donnée pour mes quinze ans, en face de la maison paternelle.

Je l'ai ruminée pendant longtemps cette défaite dure à avaler, avant d'en comprendre le pourquoi. Il faut que je retourne un peu en arrière pour mieux vous faire saisir le cheminement que j'ai suivi.

Un an environ avant la déconfiture des magasins, j'avais découvert la peinture, un soir de réveillon, chez une de mes tantes. Je me suis donc équipé pour en faire et, pendant la dernière année de mon commerce, je m'y étais mis sérieusement. Encore là, je me préparais sans le savoir à mon échec commercial.

De toute évidence, rendu en Gaspésie, c'est la peinture qui m'a sauvé la vie de plusieurs façons. J'en étais passionné et d'en faire me changeait les idées. En plus, dès les premières expositions, ce fut un succès. Les tableaux se vendaient très bien et je réussissais à faire vivre ma famille. Les premières années après notre retour, nous avions alors quatre enfants, et Ghislaine ne travaillait pas à plein temps. Elle était coiffeuse et des amis venaient quelquefois à la maison se faire couper les cheveux.

Après un recul de plusieurs années, je réalise que j'avais préparé inconsciemment tous les événements que j'ai vécus et je ne regrette rien aujourd'hui, au contraire. Je remercie la Providence (ou appelez cela comme vous voulez) de m'avoir guidé vers cette expérience.

***

Quand on fait confiance au temps qui passe, la vie le sait et arrange les choses...

CHAPITRE 3

J'ÉCOUTAIS LES GENS QUI ME DÉCLARAIENT QUE, POUR RÉUSSIR, IL FAUT ÊTRE CHANCEUX...
D'AUTRES ENCORE ME DISAIENT QUE C'ÉTAIT LE HASARD...
ENFIN, LES PLUS PESSIMISTES AFFIRMAIENT « QU'ILS ÉTAIENT NÉS POUR UN PETIT PAIN », POUR EXPLIQUER LEUR DÉFAITE...

Je me souviendrai toujours d'une phrase d'un voisin lorsque j'étais adolescent. Un automne, j'ai profité de la voiture de ce dernier pour aller au ramassage des pommes de terre au Maine. Il a plu tout le temps et la machinerie était toujours en panne. Nous sommes revenus au bout de dix jours. J'avais en poche seulement un dollar américain que je gardais précieusement. Pour expliquer notre voyage blanc, le voisin en question ne m'a pas donné comme raison la pluie ou la machinerie. Non ! Imaginez-vous qu'il disait et répétait que nous étions « **nés pour un petit pain** ». À bien y penser, qu'est-ce que nous avions à voir avec cette machine et ce mauvais temps ? Nous n'étions coupables de rien. Peut-être que si nous étions restés quelques jours de plus, nous aurions pu revenir avec de l'argent, qui sait. **Il m'est arrivé souvent dans ma vie de vouloir tout lâcher parce que rien ne marchait, mais quelques jours plus tard le succès était là.**

Souvent, je me fais dire que je suis chanceux d'avoir un bon commerce, d'être un artiste, d'avoir beaucoup de talent dans différentes disciplines, d'être un bon homme d'affaires, etc.

Souvent, je fais un sourire, je ne réponds pas, mais je sais que je mérite ce que j'ai su **oser demander, oser conquérir**.

L'autre jour, j'étais au golf et des connaissances d'enfance que je n'avais pas vues depuis quelques années m'interpellent et me disent : « Ce gros motorisé stationné ici hier soir, est-ce que c'est à toi, Marcel ? » Je leur réponds gentiment : « Oui, j'ai couché sur le terrain, hier soir ». L'un d'eux me dit en blaguant : « J'aimerais ça en avoir un, mais je suis trop pauvre », et il rajoute, toujours en blaguant, « on n'est pas des artistes, nous autres ».

Vu que je me suis promis, avec l'expérience, de toujours garder mes pensées vivantes, je ne dois pas diminuer ma richesse ni l'augmenter, naturellement. Je lui réponds en souriant : « C'est très simple, si tu veux avoir un gros motorisé comme celui-là, deviens **artiste**...». Là, toutes les personnes qui assistaient à la scène se sont mises à rire. Les deux connaissances aussi en ont ri et ont même ajouté que c'était une très bonne réponse à donner dans ce cas-là. **Il faut toujours faire attention à nos pensées; ce sont**

elles qui créent notre futur. N'oubliez pas... car elles sont inscrites dans le gros livre de la pensée universelle. **Le futur se crée à petit coup de moment présent.**

***

Si tu sèmes avec ton coeur, tu récolteras un jardin d'amour.

CHAPITRE 4

LES EXPÉRIENCES DE MA VIE M'AMENAIENT À MÉDITER SUR *MON* RÔLE À JOUER POUR M'ASSURER UN DESTIN HEUREUX...

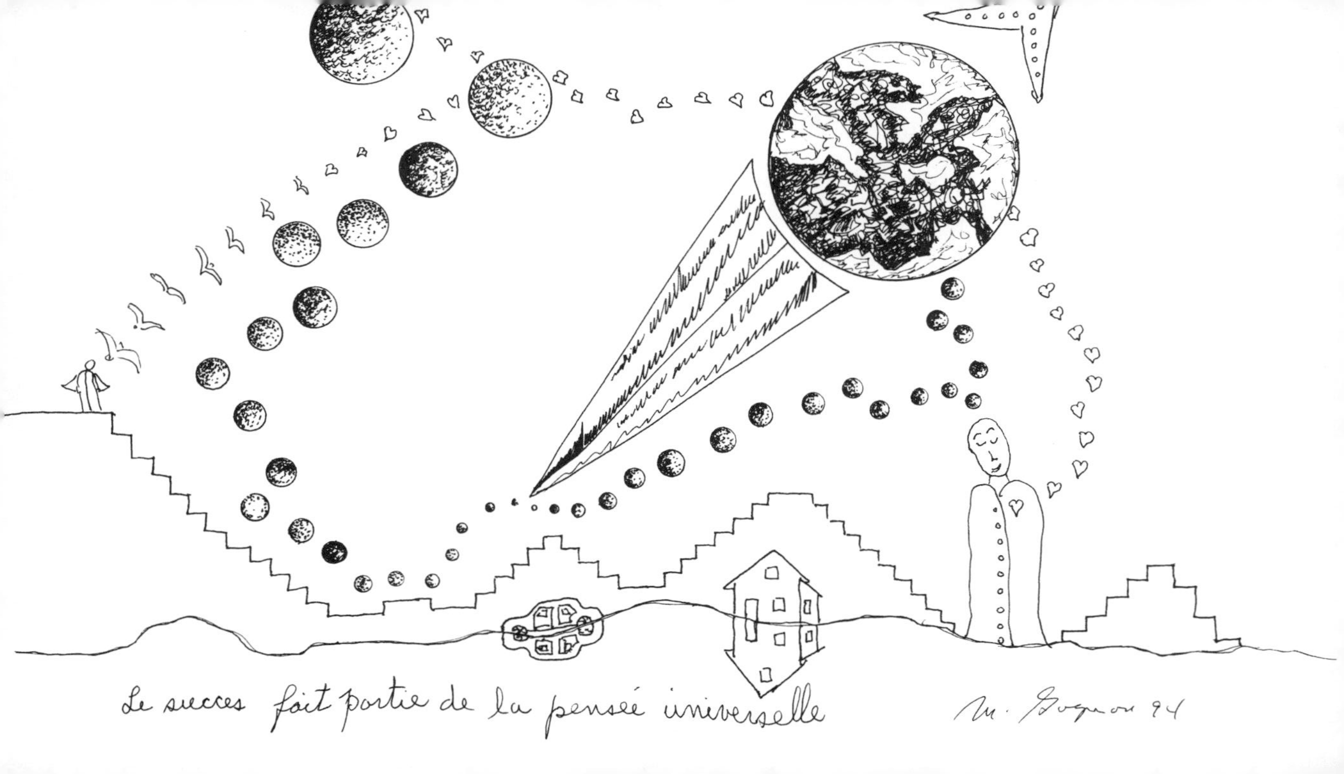
Le succes fait partie de la pensée universelle

Si nous savons observer les expériences de notre vie de tous les jours, il s'y trouve une foule d'informations qui peuvent nous être utiles. Se donner un coup de marteau sur un pouce peut nous sembler une catastrophe, mais qui ne l'a pas fait ? Eh bien, la prochaine fois que cela vous arrivera, regardez attentivement et rappelez-vous ce qui s'est passé dans les dernières minutes, dans les dernières heures avant cette maladresse. À toutes les fois que j'ai subi de tels contretemps, j'ai remarqué **que, souvent, je voulais sauter les étapes** ou bien que j'étais exténué, stressé, et ne vivais pas mon moment présent. Mais avec un coup de marteau sur le doigt, je vous assure que nous le vivons notre moment présent. Ça fait assez mal ! Ça nous replace les idées et, habituellement, le travail avance plus rapidement par la suite.

J'ai fréquemment observé dans le passé que, lorsque j'ai une forte grippe, c'est que je me suis servi de mon corps comme d'une machine, sans le faire reposer, sans lui donner ce dont il avait besoin pour bien fonctionner. Et vlan ! la grippe arrive ! **La nature nous remet à notre place de gré ou de force.** Soyez attentifs à ces petits phénomènes qui en disent pourtant bien long sur le rôle que nous avons à jouer sur notre destin futur.

À notre insu, parfois, toutes les pièces du casse-tête se positionnent. Il faut donc faire un choix judicieux dans les pensées que nous tolérons dans notre tête, avoir du respect pour soi et se répéter souvent que nous avons un rôle très important à jouer pour accéder au succès. Et une règle à respecter : ne jamais être jaloux du succès des autres parce que, tôt ou tard, cela se retourne toujours contre nous. De toute façon, quand on envie les autres, pendant ce temps-là nous le perdons - notre temps, et nous ne travaillons pas sur le nôtre - notre succès.

***

Comment peux-tu réussir si tu ne rêves pas de réussite ?

CHAPITRE 5

EN M'OBSERVANT, EN OBSERVANT LES GENS, J'AI COMPRIS QUE TOUT ÊTRE HUMAIN AVAIT LA MÊME CHANCE, AVAIT LES MÊMES CAPACITÉS, AVAIT LE MÊME DROIT AU BONHEUR, ET QUE LE HASARD N'EXISTAIT PAS...

Là, j'entends plusieurs personnes rechigner et déclarer : « Qu'il vienne chausser mes souliers, y va voir que la vie c'est pas facile ! » Je vais aller encore plus loin... C'est sûr que si, à chaque matin, en vous levant, vous répétez « oui, c'est pas drôle comme la vie est difficile ! », attendez-vous pas que vous allez améliorer votre sort à vous plaindre de la sorte.

Quand je vous écris plus haut que j'ai observé les gens, j'en conclus que **nous avons tous la même chance de réussite**. Eh bien pour appuyer mes dires, je vais vous en conter une bonne ! Elle est tout ce qu'il y a de plus vraie cette histoire ! Pouvons-nous être plus malchanceux que d'avoir un accident à seize ans, de rester les jambes paralysées et de passer le reste de notre vie en chaise roulante ? Pourtant, l'été dernier, j'ai connu un jeune de vingt-cinq ans à qui cela est arrivé. Malgré son infortune, il m'a donné la plus belle leçon de vie que je n'avais jamais eue. Il occupait un emploi important dans un bureau de compagnie et aimait la vie avec coeur, et ça se sentait. **Il était tout simplement merveilleux et débordait d'amour**. Il disait même que son accident lui avait sauvé la vie, qu'il avait découvert son intérieur et qu'il grandissait chaque jour. Il n'était pas un numéro, il vivait pleinement.

Nous pouvons avoir nos deux jambes et être paralysés, être des morts ambulants, comme on dit. Je suis peut-être un peu dur, mais de toutes façons, les morts ne lisent pas les livres de croissance, ils sont trop occupés à ne rien faire...

Quand nous voyons des gens bien portant qui nous répètent qu'ils sont démunis, que c'est la faute de leur père, de leur mère, du milieu où ils sont nés, de telles déclarations nous donnent envie de les gratifier d'un bon coup de pied où vous savez, **ou, encore, d'espérer qu'ils s'administrent un bon coup de marteau sur le pouce**. Mais, pour eux, ce n'est pas dangereux que ça leur arrive, venant d'eux-mêmes, puisqu'ils ne provoquent rien, ils attendent que quelqu'un le leur donne. Après, ils se plaindront qu'ils sont maltraités. Selon vous, peut-on avoir du succès dans ces conditions-là ? Peu importe nos origines, nous avons tous droit au bonheur et au succès.

Pour les uns, le succès se résume à quelque chose de simple comme d'avoir sa petite famille, une belle maison. Pour d'autres, une réussite spirituelle, pour d'autres encore, un succès commercial. Peu importe ! Il faut d'abord vouloir quelque chose. Si nous ne demandons rien, nous n'obtiendrons rien, c'est sûr. **Et surtout, ne vous fiez pas au hasard, car le hasard ne se montre pas très vaillant avec les gens qui n'ont pas de projet. Il ne visite que très rarement les gens sans âme, sans passion et sans ambition. Il est fringant avec les humains entreprenants et décidés, ceux qui savent ce qu'ils veulent.**

***

Les gens apprennent seulement à se prendre en main quand il n'y a plus personne pour les sauver...

CHAPITRE 6

OUI, J'AI COMPRIS QUE NOUS DÉCIDIONS DE NOS SUCCÈS...

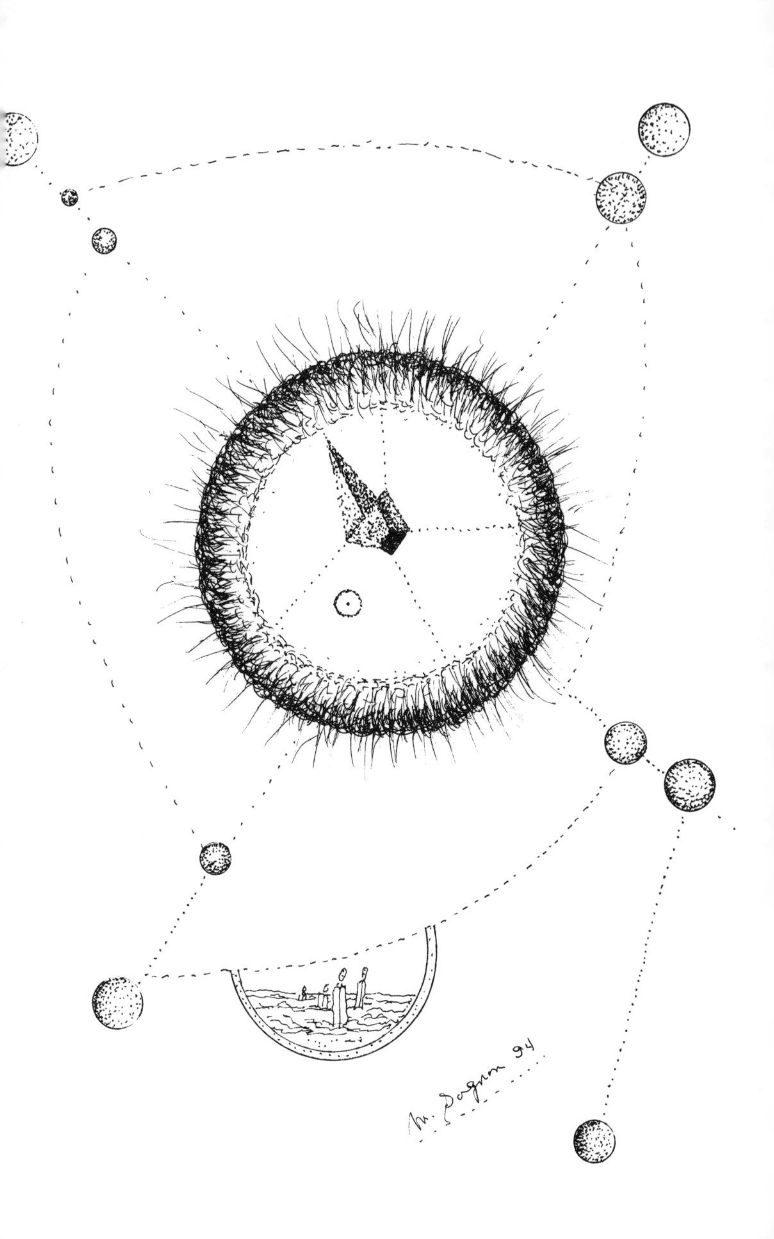

Nous sommes lundi soir. Il est vingt heures. Je suis à écrire le chapitre 6. Comme vous le voyez, je n'ai cessé de croire et d'agir pour rédiger ce petit livre d'un trait. J'ai eu, c'est vrai, un moment de doute avant le souper au deuxième chapitre, mais j'ai accepté de me faire confiance. J'ai cru que les mots finiraient par percer mon mental. Je lui impose le silence le plus souvent possible pour laisser place à l'intuition, à la créativité, au coeur. Je me fie à la banque des pensées universelles mises là, à ma disposition, comme le sont tous les projets qu'on peut avoir en tête... non, je devrais plutôt dire dans le coeur, car la tête, *lire le mental,* **c'est**

saint Thomas qui nous arrête tout le temps en nous disant que nous ne sommes pas capables et que nous devons attendre plus tard pour agir. Mais il faut comprendre que c'est notre coeur qui peut décider et non notre tête et, à partir de ce moment, nous pourrons espérer beaucoup, encore plus que nous n'osions y croire. **Essayez pour voir, une seule fois, faites confiance à votre succès futur, il arrivera. Là où vous ne l'attendez pas, il vous surprendra.**

***

N'oubliez pas : la tête prend et le coeur donne.

CHAPITRE 7

RIEN NE SERT, SELON MOI, DE CHANGER NOTRE DEHORS, NOTRE HABILLEMENT, NOTRE VOITURE, NOTRE MAISON, NOS AMIS, NOS PARENTS.
C'EST INUTILE, ET C'EST DE COMMENCER PAR LA FIN...

m. pagnan 94

Souvent, il y a des leçons de vie dont nous nous souvenons longtemps. J'ai connu un type à Montréal qui était un peu spécial : il se promenait avec une voiture sport très puissante et, dans le fond, ce style lui allait comme un gant. Un jour, sans nous en avertir, il décide de modifier son apparence. Il s'était mis à vendre des bijoux en or et il avait changé son auto sport de couleur voyante pour une grosse Chrysler brune *(je la vois encore comme si c'était hier)* et, en plus, il avait troqué sa veste sport pour un imperméable beige, style Colombo, mais tout neuf. Je suis sûr que vous imaginez la scène ! La première journée, il parlait mieux, il me semble, mais au bout de quelques jours, même avec son imperméable tout neuf, il avait repris son langage coloré et très cru. Vous vous doutez bien que ce déguisement n'a pas duré et tout est revenu à la normale après au plus deux ou trois semaines. Il avait seulement oublié de se changer l'intérieur, lui, l'être humain.

Vous allez me dire que c'est une histoire bien ordinaire, mais comme elle est vraie ! Souvent, on se joue un rôle qui n'est pas le nôtre. Comment peut-on espérer avoir du succès dans notre vie, si nous copions les autres ? Même avec le peu qu'on possède, à mon avis, **il vaut mieux être soi que de se blesser les pieds en portant les souliers des autres**. Ce qui s'avère un atout ou une force pour l'un peut devenir une faiblesse pour l'autre. N'oubliez pas, notre bonhomme, celui de mon exemple, aurait sûrement eu beaucoup plus de succès s'il avait vendu des pièces d'auto sport, vous ne pensez pas ?

Essayez d'imaginer, vous qui lisez ces lignes, qui vous plaignez de ne pas avoir de talent ou si peu - ne serait-ce pas la **confiance en vous** qui vous ferait défaut ? Nous avons tous différents talents, mais nous n'osons pas les montrer parce qu'à nos yeux ils sont souvent très ordinaires. Mais, chose curieuse, ils pourraient rendre heureux d'autres qui ne les ont pas. En art, ce sont souvent les défauts qui font qu'une oeuvre se distingue des autres. Les peintres naïfs, par exemple, qui ne connaissaient rien du dessin de la perspective ont souvent été reconnus comme de grands artistes parce qu'ils ont osé se montrer à nu. Ce n'est pas évident de le faire, j'en conviens, mais combien obligatoire pour se réaliser. Exploitez vos capacités à votre niveau sans vous laisser arrêter par ce que les autres en penseront. Franchissez cette étape, cela vous apportera une grande joie et vous conduira vers d'autres découvertes plus importantes peut-être.

***

Il vaut mieux essayer au *risque* de se tromper que de ne jamais rien faire par peur, et de *risquer* de se désintéresser de la vie.

CHAPITRE 8

TOUT CE QUE L'ON DOIT CHANGER, C'EST NOTRE FAÇON DE PENSER, NOTRE INTÉRIEUR. ENSUITE, TOUT DOUCEMENT, CERTAINS DE NOS AMIS VONT CHANGER, NOTRE HABILLEMENT, NOTRE VOITURE...

La vie ne continue pas
elle commence à l'instant.
M.B. 94

Je vous entends dire : « C'est bien beau changer notre façon de penser, mais ce n'est pas si facile que ça ! » **Cette fois-là vous avez raison, c'est vrai que ce n'est pas facile.** Ça me fait rire quand des gens répètent par coeur des pensées positives apprises dans un manuel et pensent changer leur vie de cette façon-là. Cet exercice ne peut pas leur nuire, j'en suis sûr, mais le dos tourné, le naturel ne tardera pas à se réinstaller. Je pense sincèrement que si nous voulons véritablement changer en profondeur notre façon de voir la vie, **il nous faut plus que des mots, il nous faut des gestes**, une implication de tous les jours et, surtout, il ne faut pas s'attendre à un miracle le lendemain matin comme pour notre gars à la voiture sport.

Si nous avons mis une très longue période de notre vie à acquérir de mauvaises habitudes, nous ne pouvons pas espérer les perdre dans quelques jours; ce n'est pas comme cela que ça marche. Ceux qui nous promettent de régler tous nos travers indésirables dans une fin de semaine ne sont que des faussaires et des charlatans. Une fin de semaine peut nous ouvrir des horizons, tout comme la lecture d'un bon livre, par exemple, nous donnera confiance.

Il y a des gens qui ont réussi à améliorer leur sort en prenant conscience de leur possibilité, mais personne ne peut le faire à votre place. Vous êtes le seul responsable de votre succès. Et, **vous en aurez justement, le jour où vous serez con-**

vaincu que vous seul pouvez changer quelque chose. Je le répète, nul autre que vous n'a ce pouvoir; c'est le prix à payer pour réussir votre vie.

Comme vous pouvez le constater, je ne parle que très rarement de succès matériel. Si vous êtes bien dans votre peau et que vous décidez de vous prendre en main complètement, sans vous imaginer que les autres vont le faire à votre place, vous aurez aussi du succès matériel, les deux sont interreliés, forment un tout. Nous ne pouvons d'ailleurs pas parler de succès, si nous sommes riches et malheureux.

Quand j'avais mon garage à Montréal, je me souviens d'avoir connu un petit bandit. Il se faisait beaucoup d'argent à voler des tuyaux de cuivre qu'il revendait à prix d'or. Une nuit, il en avait volé suffisamment pour s'acheter, le matin venu, une Corvette toute neuve. Quelquefois j'étais un peu jaloux de son succès matériel et des belles filles qui l'accompagnaient. Je l'ai revu par hasard il y a quelques années. Il sortait de prison après avoir purgé cinq ans. Il était vieilli et détruit par la vie. Je n'ai rien dit, je l'ai accueilli amicalement, mais j'ai compris, une fois encore, qu'on ne peut être malhonnête et ne pas en subir les conséquences. Rien ne se perd dans l'univers, tout nous revient un jour ou l'autre.

***

Tant qu'il reste une petite étincelle de vie, on peut tout recommencer.

CHAPITRE 9

SI NOUS ACCEPTONS QUE
NOTRE ATTITUDE JUSTE
SOIT LE MAÎTRE DE NOTRE
VIE, PLUS RIEN NE PEUT NOUS
ARRÊTER DANS NOTRE
MARCHE VERS LE
SUCCÈS...

M. Gagnon 93

Nous pouvons nous poser la question : Qu'est-ce que c'est l'attitude juste ? D'expliquer en long et en large les comportements que nous devrions adopter pour avoir une attitude juste nécessiterait plusieurs pages et pourrait faire l'objet d'un livre entier. Nous nous contenterons de dire que c'est la façon qu'a chacun de voir la vérité. Il y a donc autant de vérités que de gens. En principe, cette affirmation fait que tout le monde a raison - à la condition de ne jamais essayer d'imposer son point de vue aux autres.

Mais la présence de l'attitude juste dont je parle ici pourrait bien se confirmer le plus quand nous avons la certitude profonde et intuitive de faire le bon choix, quand notre décision vient du coeur et non de la tête. Personne ne peut se tromper sur la sensation que l'on éprouve lorsque la réponse vient du plus profond de soi. Apprivoisez cet état d'être. **Plus vous ferez confiance à cette voie, plus elle se manifestera souvent. L'univers est à l'intérieur de nous**, vous savez, et il faut profiter au maximum de cette richesse. Fiez-vous de façon inébranlable à votre vérité, celle qui prend appui au fond de vos tripes et, encore une fois, méfiez-vous du mental, de la tête. Essayez de visualiser une expérience où vous ressentiez la certitude dans vos tripes d'avoir choisi le bon chemin.

***

Pour oser l'expression, il faut être prêt à accepter d'être à la hauteur de ce que nous sommes.

CHAPITRE 10

J'AI APPRIS, AVEC MES EXPÉRIENCES, QUE C'EST UNE HISTOIRE DE CAUSE À EFFET… NOUS RÉCOLTONS CE QUE NOUS SEMONS…

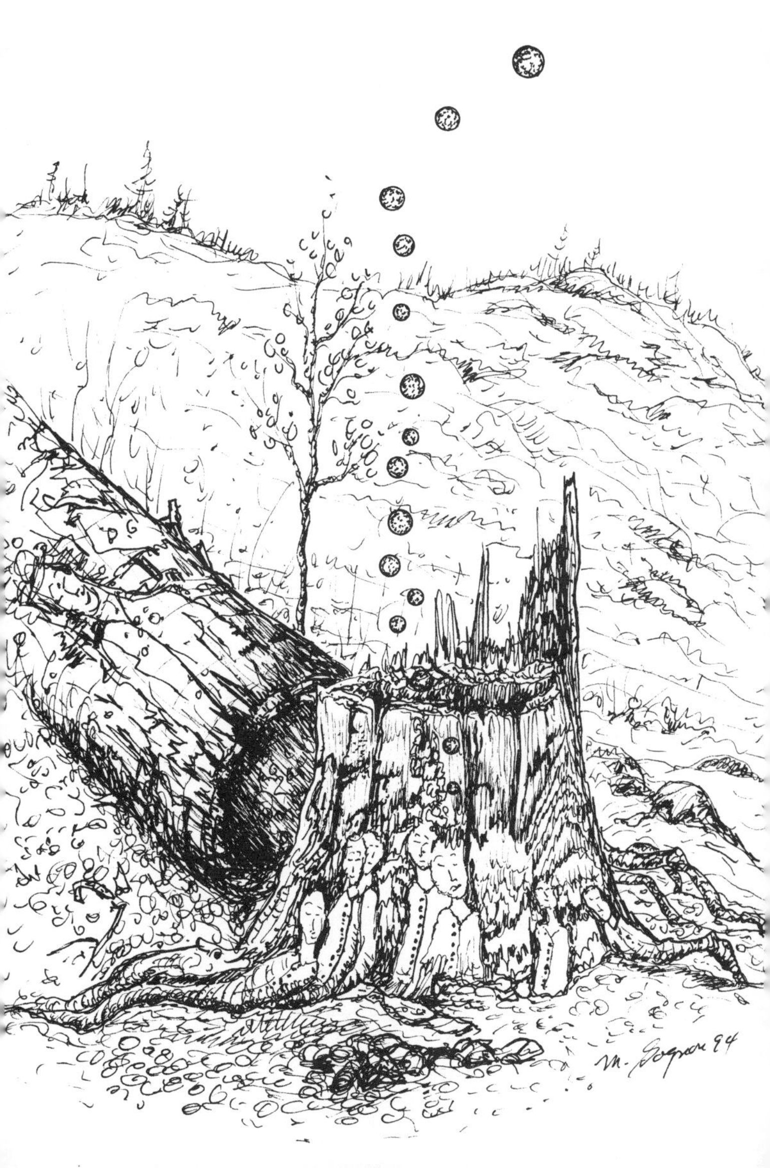
M. Gagnon 94

Combien de fois nous sommes-nous fait casser les oreilles avec cette phrase ? : « **Nous récoltons ce que nous semons** ». Est-ce que nous l'avons bien comprise ? Peut-être l'avons-nous prise à la légère, cette phrase qui a traversé le temps ? Si on s'y arrête un peu, elle ne nous laisse pas grand choix : il faut semer pour récolter. Mais comment faire, me direz-vous, quand nous n'avons pas d'argent à investir ou de bon grain à semer ? Souvent, quand on parle avec les gens et qu'on leur dit que **nous pouvons réussir**, peu importe notre condition de départ, ils ne nous croient pas. Ils pensent seulement argent et **ils**

oublient leur richesse à eux, leur énergie, leurs capacités intellectuelles et physiques.

L'être humain est doté de la plus belle machine jamais inventée et il ne s'en sert souvent que pour errer dans la vie et se faire du mauvais sang.

L'hiver dernier, je faisais remarquer à l'un de mes fils qu'il devait se prendre en main et voir toutes les possibilités dont il disposait. Il me répondait : « Je suis *cassé*, je ne peux pas investir dans un petit commerce pour me créer un emploi. »

Je lui faisais comprendre que tant qu'il ne changerait pas la façon de voir les choses, il ne s'en sortirait pas. Je lui soulignais que, d'abord, il devrait penser en gagnant. C'était primordial de commencer par là. Ensuite, tous les éléments se mettraient en place pour le succès, la réussite. Je lui disais qu'il regardait trop loin de lui, exemple : il envoyait son curriculum vitae partout dans les bureaux du Gouvernement et dans de grosses compagnies. Quand on sait qu'il y a des mises à pied partout à cause d'une certaine récession, évidemment il n'a pas obtenu beaucoup de résultat; il devenait un numéro comme tant d'autres.

Je lui répétais, « **regarde plus près encore, chez tes voisins, dans ta famille, du côté de tes beaux-parents**, regarde en toi ce que tu aimes et tu trouveras ». Je crois bien qu'il a fait l'exercice à fond. Il travaille maintenant pour son beau-père, dans un moulin à scie et en forêt. Il est où il a toujours aimé être, dans la nature. On peut affirmer aussi que l'on ne sème que ce que l'on a.

Ses études en chimie, peut-être que ce n'était pas lui, il voulait seulement se trouver une *job*. Au moment où il a débuté ses cours, il y avait de la demande dans ce domaine.

Un autre de mes fils qui aime la peinture s'est inscrit à un concours cet été. Il me demande qu'est-ce qu'il *pourrait* bien peindre et comment *pourrait*-il s'y prendre pour présenter un tableau au concours ? « C'est très simple mon garçon, va dans la pièce où tous tes tableaux sont exposés, regarde-les un par un, **retire le meilleur dans chaque tableau, pas ce qui est mieux fait, mais ce que tu as eu le plus de plaisir à faire et le moins de difficulté, prends tous ces éléments et réunis-les ensemble et fais un tableau.** Il sera de toi et personnel ». Eh bien ! **il a gagné un prix au concours.**

Vous voyez, nous cherchons souvent trop loin, dans les techniques sophistiquées, dans les études compliquées. La plupart du temps, nous avons tout ce dont nous avons besoin très près de nous, en nous.

J'ai connu un jeune peintre cet été qui peignait d'une façon hyperréaliste. C'est une peinture qui reproduit la réalité et même qui la dépasse. Il y consacrait un si grand nombre d'heures qu'il terminait chaque tableau tellement écoeuré qu'il n'en peignait qu'un ou deux par année. Ces reproductions presque photographiques étaient belles à l'oeil, mais n'avaient aucune personnalité.

Il réclamait mon avis avec insistance et, au lieu de critiquer son tableau, **je lui ai demandé s'il faisait son lit chaque matin, s'il lavait sa vaisselle à tous les repas**. Il a paru surpris que je lui pose cette question. Il m'a répondu : « si tu voyais mon *appart*, c'est un vrai dépotoir ». Je lui ai donné la réplique du tac au tac : « **Réfléchis à cela**. Je crois bien que cette peinture si minutieuse ne t'appartient pas, c'est une copie d'une réalité qui n'est pas la tienne. **Tu ne respectes pas ce que tu es.** »

Et vous pouvez en voir des exemples comme celui-là dans tous les domaines de la vie. Observez les gens, **observez-vous d'abord**, et vous verrez qu'on peut améliorer notre sort en étant vrai.

Pour ma part, mon succès comme artiste a vraiment débuté avec les personnages allongés, sans bras et avec des petits boutons à leur tunique. Je n'aime pas peindre des bras aux personnages, par contre, j'aime bien leur faire des petits boutons, et j'en mets partout.

J'ai respecté mon choix et j'ai créé quelque chose de personnel. Au peintre qui me demande « comment devenir personnel en peinture ? », je réponds tout simplement « fais seulement ce qui est facile, sans forcer…

***

La créativité arrive quand l'effort cesse.

CHAPITRE 11

ON NE PEUT PAS TRICHER NI MENTIR, NOUS FAISONS PARTIE DE LA PENSÉE UNIVERSELLE...

Côte Nord

Je dois vous dire la vérité : hier soir, je n'ai pu écrire plus tard que vingt et une heures trente; je m'endormais trop. Vous savez le grand air du bord de mer nous donne envie de se coucher de bonne heure et de se lever tôt. Dès six heures, j'étais réveillé, mais n'osais me lever pour écrire de peur de déranger Ghislaine qui dormait encore.

Au sortir du lit, j'ai déjeuné calmement d'une bonne tasse de café-filtre et de rôties. Nous avons parlé, Ghislaine et moi, de tout et de rien. Je lui ai fait des commentaires sur mon aventure d'écriture, en lui rappelant, avec humour, que le succès est pour les gens qui se lèvent tôt.

J'ai repris mes notes, relu les deux dernières pages, et voilà, c'est reparti. Il ne me reste que quelques heures avant que la pièce pour le motorisé n'arrive, si, finalement, elle arrive cette fameuse pièce.

Je suis sûr qu'elle va prendre tout le temps qu'il faut pour me permettre d'exprimer jusqu'au bout ce que je veux vous dire. Ah que c'est beau la confiance ! Vous ne trouvez pas ?

Justement, je vais vous raconter une histoire sur la confiance et de quelle façon on se fait du tort à soi-même lorsque l'on triche.

Je connaissais quelqu'un qui était venu de l'extérieur pour s'implanter dans la région. Il était peintre comme moi, et je l'encourageais à partir sa petite affaire.

Quelques mois plus tard, il ouvrit son commerce. Il venait souvent discuter chez moi de mes projets, et, une fois chez lui, il annonçait le même genre de cours, les mêmes événements, toujours un peu avant moi.

Sa conduite fâchait Ghislaine qui me disait : « Tu ne vois pas qu'il te copie, tu ne devrais plus rien lui dire. » Je lui répétais que « ce genre de monde-là se pend tout seul, nous n'avons même pas besoin de les aider ». Et, effectivement, il a fermé ses portes quelques mois plus tard. **Nous n'avons jamais de succès avec la copie, il faut être l'original**. Les gens me disent « vous n'avez pas peur d'être copié avec vos statues qui sortent de la mer ? » Je leur réponds que « non, car ce sont les copieurs qui vont être comparés à Gagnon, et moi, je serai déjà rendu plus loin... »

La copie, qui est en fait, si on réfléchit bien, un dérivé de la tricherie et du mensonge, conduit les gens à leur propre ruine.

Souvent nous posons des gestes ou nous prononçons des paroles sur nous-même ou sur autrui qui ne nous semblent pas très importantes. Mais si, demain matin, nous étions convaincus que tout ce que nous faisons et disons (peu importe l'importance) est inscrit dans la pensée universelle, agirions-nous de la même façon ? Dans ces conditions, il est vrai que nous ne pouvons ni tricher ni mentir. Nous faisons partie de la pensée universelle.

***

Pour être original, il faut sacrifier quelque chose dans ce qui est déjà établi par la société.

CHAPITRE 12

L'ATTITUDE JUSTE, C'EST LA SEULE FAÇON DE S'ÉLEVER AU RANG DES FEMMES ET DES HOMMES QUE L'ON DIT BÉNIS DES DIEUX…

Nous nous posons souvent cette question : Pourquoi tel ou tel homme d'affaires réussit-il ? Pourquoi certains artistes ont-ils autant de succès et durent-ils aussi longtemps ? J'ai observé ces hommes d'affaires, ces artistes, et ils sont tous vrais. Ils ont la bonne attitude et ils se donnent corps et âme. Ils aiment les gens et les gens les aiment. **Parce qu'il y a de l'amour qui se dégage d'eux**, nous sentons qu'ils ont quelque chose à nous apprendre. Ils ne trichent pas, ils travaillent avec ce qu'ils ont, pas plus; ils en ont assez, ils s'en contentent. **Ils ont l'attitude juste**.

Parfois et même souvent, ils n'avaient pas de moyens financiers au départ. Ils y croyaient tout simplement à leur art ou à leur affaire.

J'ai le goût de vous faire part de mes expériences, sur le plan spirituel et matériel qui, selon moi, *je me répète*, sont interreliées. Je vais vous parler de mes succès. Je vous donnerai peut-être des chiffres, des quantités, des records, car, selon moi, le succès, il faut en parler, le succès s'est fait pour être dit. **Il faut que ça déborde**, il faut que ça fasse jaser.

Tant pis pour les *intellectuels* et les autres qui pensent que c'est de la vantardise ou les jaloux qui croient me faire du mal en me disant que je ne le mérite pas. Tous ceux que le succès des autres dérange, **posez-vous des questions sur votre succès**, car le prix à payer pour atteindre la réussite personnelle, c'est d'être content de celle des autres et de croire en soi.

J'ai plusieurs amis dans le commerce qui s'en tirent fort bien, et quand nous nous rencontrons, nous discutons de pourcentage, d'augmentation du chiffre d'affaires et nous sommes heureux du résultat de l'autre.

En ramenant le sujet de la réussite à moi, à mes propres expériences, je veux vous donner le goût de créer quelque chose de personnel. Pour ceux et celles qui n'ont jamais osé, je vous dirais que, **pour réussir, il faut risquer, que ce soit sur le plan émotionnel, spirituel ou matériel.**

Je sais qu'il y en a qui n'ose pas, j'en rencontre souvent au Centre d'art qui ont des projets et qui souffrent le martyre dans leur emploi actuel (à les entendre parler et à voir leur physionomie), mais, malgré cela, ils aiment mieux ce supplice que de risquer un peu. **Il faut savoir couper les ponts et foncer**, et ça ce n'est pas dû à tout le monde.

Je crois bien que mon aventure a commencé il y a vingt ans quand j'ai décidé de faire de la peinture. J'en avais un peu-beaucoup marre du boulot-dodo. Cette lassitude m'a conduit tout droit à la fermeture de mon entreprise (comme je vous l'ai déjà racontée) et à changer complètement de route dans la vie.

De peindre à plein temps ne me suffisait pas sur le plan physique. J'avais besoin de travailler plus manuellement comme j'avais toujours fait, d'abord sur la ferme avec mes parents, dans les chantiers comme bûcheron et ensuite comme mécanicien dans mon garage.

Les deux premières années de peinture, j'ai réparé ma maison de campagne. Deux ans plus tard, nous avons déménagé au village et acheté l'épicerie de mon père. Ensuite, nous l'avons fermée pour en faire un salon de coiffure.

Pendant ce temps, je peignais toujours, mais avec de plus en plus de difficultés à vendre mes tableaux. Les expositions *marchaient* moins bien. Je me souviendrai toujours de la dernière exposition de ces années-là. Elle se tenait à Rivière-du-Loup. J'étais tellement écoeuré que j'espérais qu'il ne viendrait pas de monde.

Après le démontage de l'expo, je dis à Ghislaine « c'est fini, je ne suis plus capable; je continue de peindre, mais j'arrête d'essayer d'en vivre ou j'ouvre ma *place* où les gens viendront me voir. Je ne veux plus courir après eux ».

Toute cette étape de ma vie a été très bouleversante. J'avais environ trente-huit ans, et ce fut la remise en question totale. Je suis passée tout près de la dépression. J'avais perdu mes espérances en la vie et j'ai dû me donner des coups de pied où vous pensez pour refaire surface. C'est surtout à cette période-là que j'ai commencé à regarder à l'intérieur. J'avais cherché partout, mais jamais où il fallait. Je me suis tourné vers la méditation et elle s'est avérée un moyen efficace pour m'en sortir. Elle guérit l'âme, et c'est souvent elle qui est malade d'avoir été trop délaissée.

Il est impossible, selon moi, de régler tous nos problèmes par la réflexion consciente et réaliste, car le mental ne nous donnera que ce qu'il connaît, que ce que nous connaissons. La méditation, pour sa part, travaille en profondeur dans notre subconscient et à notre insu. Pour atteindre ce résultat, une condition est cependant nécessaire : s'abandonner, faire confiance pleinement sans trop se questionner et laisser la vie se charger de nos angoisses et de nos inquiétudes.

Tout ce remue-ménage se passait en 1984, l'année des *Grands voiliers*. Je voulais aller m'installer à Percé, mais Ghislaine trouvait cet endroit trop éloigné. Elle me convainc d'essayer de me trouver un endroit à Sainte-Flavie ou dans les environs. Nous dénichons, finalement, un petit chalet, sans apparence, le foin long tout autour. En entrant à l'intérieur, je n'ai eu besoin que de deux minutes pour me décider. J'ai dit au vendeur, « je vous fais une offre ».

À ce moment-là, je n'avais pas un sou vaillant, mais j'avais refait ma crédibilité à la Caisse. J'achète donc sans comptant, en donnant en garanti notre maison du village. Nous sommes le premier juin 1984. J'emprunte deux mille dollars et je me fais des enseignes en contreplaqué que je lettre moi-même. Je confectionne des tables avec des pattes en 2" x 4" et le dessus avec de vieux morceaux de contreplaqué. Nous les recouvrons de nappes à carreaux rouges et blancs en plastique. Je cours les marchés aux puces et chez des amis pour les chaises.

Pendant les quinze jours des travaux, j'expérimente un petit menu de mon invention (il y avait un poêle et un réfrigérateur avec la maison), car ce sera une galerie d'art avec un petit Café. Le temps presse ! Il faut que j'ouvre les portes pour le quinze juin, si je ne veux rien manquer du tourisme.

C'est parti ! J'arrive le matin du quinze juin à neuf heures. Il est onze heures trente et aucun client n'est encore venu. À onze heures quarante-cinq, une auto s'arrête, des personnes d'un certain âge en descendent et entrent. Ils ont manqué la route de la Vallée, et l'enseigne « Café » les a attirées. Ils prennent un café en regardant mes tableaux accrochés ici et là sur le mur. À ma grande surprise, ils en achètent deux pour une somme totale de quatre cent cinquante dollars.

Je saute de joie dès qu'ils ont *refranchi* la porte. J'appelle Ghislaine pour lui annoncer la bonne nouvelle et je lui redis : « Je le savais que mon affaire marcherait. » La première année, onze mille dollars de chiffre d'affaires. C'est pas beaucoup, mais c'est suffisant, avec les petits à-côtés et le salon de coiffure de Ghislaine, pour nous permettre de poursuivre.

En 1985, nous décidons de déménager à Sainte-Flavie. Entre-temps, j'avais été maire de La Rédemption. Je dois démissionner, je ne suis plus résident. Dès le mois d'avril, nous faisons creuser pour les fondations et ça continue... Nous nous construisons une maison à un coût minime. Des parents, des amis viennent donner un coup de main. Je fais le reste. Le sous-sol servira d'atelier pour l'utilisation de mes outils de menuiserie. Une partie du rez-de-chaussée deviendra une grande salle d'exposition. Les chambres seront à l'étage. Les travaux s'arrêtent avec le début de la saison touristique. Nous avons fait la finition seulement de la partie accessible au public.

Le chiffre d'affaires double en 1985. Nous réussissons encore à faire le travail avec nos enfants, Isabelle et Jean-Pierre. Au bout d'une autre année, Ghislaine ferme son salon de coiffure à La Rédemption et décide de travailler avec moi au Centre d'art. Dans l'automne 1985, il me vient une idée.

Nous revenions alors de France où j'avais fait une exposition et visité des musées et je voulais me faire quelques sculptures grandeur nature pour décorer mon parterre. Ma peinture avait évolué et je peignais maintenant des personnages très spéciaux, sans bras, avec de longs visages et une rangée de petits boutons sur leur vêtement. En faisant mon croquis pour leur emplacement, j'avais dessiné la bordure du fleuve (ou de la mer, appelez ça comme vous voulez), et tout à coup, il m'est venu un grand frisson, le plus gros de ma vie. Mon corps tremblait. J'ai eu alors une révélation et je me suis dit *j'en mets dans la mer de ces statues*.

À partir de ce moment-là, ma vie a changé. J'ai passé une partie de l'hiver dans mon sous-sol à fabriquer les plus petites statues et, le printemps venu, j'ai fait les plus grosses, celles placées dans la vague. Je volais littéralement ! J'étais transporté par cette idée. Avec tout au plus cinq cents dollars de ciment et de broche, je venais de gagner le gros lot. Je le sentais. Dès la mise à l'eau, le réseau national de Radio-Canada a fait un reportage, au journal télévisé avec Bernard Derome, le lendemain matin. Le chiffre d'affaires a triplé.

En 1989, avec la demande constante d'hébergement, nous sentions que nous devions faire un pas de plus. Nous avons alors pris la décision de bâtir une auberge de dix chambres et d'agrandir la salle à manger et la cuisine. Ce fut bénéfique, le chiffre d'affaires ne cessa d'augmenter.

En 1994, nous avons acheté une magnifique maison située juste à côté de notre commerce. Nous l'avons ouverte au public. On peut y voir une biographie de mes vingt ans de carrière, un vidéo sur la construction des statues et une exposition permanente.

Notre petit commerce emploie maintenant vingt personnes en saison, plus de 100,000 visiteurs s'arrêtent voir les statues et les radeaux que j'ai ajoutés depuis trois ans. J'écris depuis 1989 et je suis à la rédaction de mon huitième livre. Nous avons maintenant un distributeur et notre propre maison d'édition pour la publication de nos livres, sous le nom des *Éditions du Grand Rassemblement*. Nous avons vendu, au comptoir du Centre d'art, des milliers de livres, posters de pensées positives de mon cru, cartes postales et photos couleurs de mes oeuvres, etc.

Avec la renommée, les tableaux se vendent de mieux en mieux. Je fais de plus en plus d'aquarelles et de gravures sur bois. Nous croyons qu'il doit se prendre, chaque année, plus de 200,000 photos des statues.

Seulement en 1994, plus d'une dizaine de reportages-télé et des articles dans les magazines de plusieurs pays. Voilà, l'affaire fait boule de neige. Avec si peu de moyens financiers au départ, nous avons monté un commerce, Ghislaine et moi, qui nous ressemble, qui respire l'énergie. Les gens nous le disent et nous le redisent plusieurs fois par jour. Vous savez, on ne peut pas tricher avec ce genre de production-là, sans que l'on s'en rende compte tout de suite.

Si j'avais à décrire en quelques mots le succès, **je vous dirais qu'il doit prendre sa source au fond de nos tripes, à l'intérieur de notre coeur, dans la profondeur de notre âme.** Ensuite, il faut laisser l'univers décider de ce qui est bon pour nous, et l'accepter avec amour. Pour réussir sa vie sur tous les plans, je pense que l'on doive d'abord commencer à se prendre en main et après, seulement après cette prise en charge, les autres pourront nous aider à se réaliser. Nous serons ainsi bénis des dieux.

Les hommes et les femmes qu'on dit bénis des dieux sont, en fait, des humains ordinaires qui ont su abattre les barrières qui les empêchaient d'avancer. Ces obstacles vaincus, ils ont pu faire grandir leur force intérieure et leur spiritualité, ce qui leur assure une créativité sans frontière qui les mène tout droit vers le succès de leur vie.

Marcel Gagnon, le 28 août 1994

***Post-scriptum** : Il est dix heures cinquante, je viens de terminer mon petit livre sur le succès. Je suis en train de ramasser mes feuilles par terre pour les classer et je dis à Ghislaine : « J'ai terminé : la pièce mécanique peut arriver. » Je me lève les yeux, la dépanneuse entre sur le terrain; c'est le mécanicien qui m'annonce que nous allons recevoir la pompe par Purolator. J'ai juste le temps de manger et de me changer...de peau et de redevenir, pour quelques heures, mécano, pour le meilleur et pour le pire. L'aventure de la vie continue.*

TABLE DES MATIÈRES

Achevé d'imprimer en avril 1995
sur les presses de l'Imprimerie du Golfe inc.
Rimouski (Québec)